A FACA NO PEITO

A FACA NO PEITO
Adélia Prado

EDITORA RECORD
RIO DE JANEIRO • SÃO PAULO

2021

CIP-BRASIL. CATALOGAÇÃO NA PUBLICAÇÃO
SINDICATO NACIONAL DOS EDITORES DE LIVROS, RJ

P915f
3. ed.

    Prado, Adélia, 1935-
    A faca no peito / Adélia Prado.
    3. ed. – Rio de Janeiro: Record, 2021.

    ISBN 978-65-5587-327-6

    1. Poesia brasileira. I. Título.

21-72906   CDD: 869.1
               CDU: 82-1(81)

Meri Gleice Rodrigues de Souza – Bibliotecária – CRB-7/6439

Copyright © Adélia Prado, 1988

projeto gráfico Luciana Facchini
ilustração Rafaela Pascotto

Todos os direitos reservados. Proibida a reprodução, armazenamento ou transmissão de partes deste livro, através de quaisquer meios, sem prévia autorização por escrito.

Texto revisado segundo o novo Acordo Ortográfico da Língua Portuguesa.

Direitos exclusivos desta edição reservados pela
EDITORA RECORD LTDA.
Rua Argentina, 171 – Rio de Janeiro, RJ
20921-380 – Tel.: (21) 2585-2000.

Impresso no Brasil

ISBN 978-65-5587-327-6

Seja um leitor preferencial Record.
Cadastre-se em www.record.com.br e receba informações sobre nossos lançamentos e nossas promoções.

Atendimento e venda direta ao leitor:
sac@record.com.br

Coração da gente — o escuro, escuros.
JOÃO GUIMARÃES ROSA EM
GRANDE SERTÃO: VEREDAS

POR CAUSA
DA BELEZA
DO MUNDO

BIOGRAFIA DO POETA

Era uma casa com árvores de óleo,
                duas árvores grandes...
Assim começa meu amor por Jonathan,
                com este belo relato.
Referia-se meu pai aos óleos como se recontasse:
'Destes troncos que vês, Deus falou a Moisés.'
Pois bem. Duas árvores de óleo,
duas horas da tarde,
e um café que todo mundo,
àquela hora, fazia.
Uma voz intrometeu-se:
'Você e seu irmão podem brincar aqui que não
                                      [chateiam.'
Chamavam poeta ao que sabia rimar,
o mundo intimava.
Nem Salomão em sua glória foi mais feliz que eu.
Pode-se transformar em amor o horror às fezes?
Ainda que tênues,
                desconforto e estranheza não devem
                              [permanecer
                    para que eu siga humana?
Queria ter inventado o ponto de cruz e o fermento
– pequena humilhação seguir receitas.

　　　　Borboletinhas, computadores,
　　　　fios dágua com peixes,
cabos telegráficos sob o mar.
Descubro que nunca vi a vera face de Deus.
Há mulheres no meu grupo que rezam sem alegria
e de cabo a rabo recitam o livro todo,
incluindo *imprimatur*, edições, prefácio,
endereço para comunicar as graças alcançadas.
Eu só quero dizer: Ó Beleza, adoro-Vos!
Treme meu corpo todo ao Vosso olhar.

O DESTINO DO ALVISSAREIRO

O poeta sofre o ridículo
        de passear na cidade
        com a coroa de louros.
Salve, 'cantor das multidões'!
Assim o saúda o tolo,
        com picardia e desdém.
Amém, ele responde, amém, amém,
desespero impossível,
amor não correspondido,
        ainda assim, amém,
cruz sobre terra plantada.
Eis que os ossos são brancos,
eis que são belos também,
eis que este anúncio me mata
e esta grande dor me confina,
mas ainda que o mundo acabe
esta canção não termina.

A FORMALÍSTICA

O poeta cerebral tomou café sem açúcar
e foi pro gabinete concentrar-se.
Seu lápis é um bisturi
        que ele afia na pedra,
na pedra calcinada das palavras,
imagem que elegeu porque ama a dificuldade,
        o efeito respeitoso que produz
            seu trato com o dicionário.
Faz três horas já que estuma as musas.
O dia arde. Seu prepúcio coça.
Daqui a pouco começam a fosforescer coisas
                [no mato.
A serva de Deus sai de sua cela à noite
        e caminha na estrada,
passeia porque Deus quis passear
        e ela caminha.
O jovem poeta,
        fedendo a suicídio e glória,
rouba de todos nós e nem assina:
        'Deus é impecável.'
As rãs pulam sobressaltadas
        e o pelejador não entende,
quer escrever as coisas com as palavras.

A MORTE DE D. PALMA OUTEIROS CONSOLATA

Ficou severo na morte o pobre corpo,
o rosto ancestralmente conhecido.
Olhei-a no caixão durante horas.
Depois da oração fúnebre,
da água benta aspergida,
depois do hino do mártir
cantado em sua memória,
vai suavizar-se o rosto, pensei,
a boca vai conformar-se
à alegria de quem sempre soube:
a vida é uma dor contínua, mas Deus é pai amoroso.
Em vão.
Chegou o filho de longe, o último,
    a neta bastarda
por quem seus peitos velhos renasceram,
em vão.
D. Palma não abriu os olhos,
não ameaçou sorrir, os lábios colados.
Só uma pessoa falou: 'Que semblante sereno!'
Mas não era verdade, eu não tive o sinal.
Um dia me ofereceu um livro,
o mais bonito e mais caro que

comprou em sua vida,
o livro cuja palavra
resgatou sua tristeza da astúcia de satanás.
Pois vou abri-lo ao acaso
pra que um novo mistério me conforte.
Eis, creia no que lhe digo, assim está:
"Cantemos um hino ao Senhor,
 Cantemos um novo hino ao nosso Deus!"

LAETITIA CORDIS

Sossegai um minuto para ver o milagre:
está nublado o tempo, de manhã,
um pouco de frio e bruma.
Meu coração, amarelo como um pequi,
               bate desta maneira:
                  Jonathan, Jonathan, Jonathan.
               À minha volta dizem:
'Apesar da névoa, parece que um sol ameaça.'
               Penso em Giordano Bruno
e em que amante incrível ele seria.
Quero dançar
e ver um filme eslavo, sem legenda,
adivinhando a hora em que o som estrangeiro
                    está dizendo eu te amo.
Como o homem é belo,
       como Deus é bonito.
Jonathan sou eu apoiada em minha bicicleta,
                 posando para um retrato.
Quando ficam maduros
             os pequis racham e caem,
formam ninhos no chão de pura gema.
Meu coração quer saltar,
bater do lado de fora,
     como o coração de Jesus.

HISTÓRIA

Me aflige que escrevam:
'Foi em mil oitocentos e tanto que apareceu
                      a primeira bicicleta.'
Preciso que seja eterna. Deus entende o que digo,
Deus e os que leem poemas como penso em
                                [Jonathan.
Meu pai contando:
'Meu avô contava que seu tetravô
tinha uma bicicleta engraçada
onde carregava os queijos, também eternos,
e ovos, desde sempre existentes.
Já usava este sobrenome que você tem,
                    minha filha,
e que dará a seu filho, que o dará a seu neto,
cordão plantado no umbigo do Pai Eterno.'
Assim não corro perigo de não ter conhecido
                                [Jonathan,
alegria da minha vida por quem espero
"mais que o guarda pela aurora".
A história do homem é pitoresca. As datas,
                  brinquedo de pesquisadores.
Quando Deus criou o mundo
criou junto a bicicleta e o caminho relvado

onde Jonathan me espera para esta bela
                              [sequência:
à passagem dos amantes,
              o capim florido estremece.

O HOLOCAUSTO

Uns calores no corpo inauguraram-se,
há avisos de que um ciclo se fecha
        sobre o que em mim nunca mais
   será rosa ou cetim.
No entanto, entre flores dessecadas
e fotografias — hoje tornadas risíveis —
perduram inalterados
cardumezinhos, corolas,
hastes dançando à viração da tarde.
Como é possível peixes tão pequeninos
e este amarelo, o amarelo?
Os peixinhos ficam na água e não se afogam!
Tomai minha vida, ainda direi a Deus
             pra lhe provar minha alegria.
Hoje quero rir desta invenção engraçada:
             "uma carroça cheia de diabos".
Carroças são pacíficas
e a tais diabos gritos afugentam.
Na raiz da tristeza este anticorpo:
o que quer que seja o amarelo,
dele é feita minha alma e sua felicidade,
a beleza do mundo e a alma de Cristo.

OPUS DEI

As borboletas não desistem,
inconscientes de seu nome impróprio.
As estações renovam-se sem erro
e teimas ainda em te certificares
    de que não é pecado dizer:
ó beleza, sois a minha alegria.
Abre-te,
    Jonathan é apenas um homem,
se lhe torceres o lábio zombeteira
a lança dele reflui.
Um inseto esgota a razão toda,
rói com sabedoria as sumas,
uma gota de seiva mata um homem.
Portanto entrega-te
ao que te faz tão bela quando ris.
    A ópera não é bufa,
é só um não saber rasgado de clarões.
    Se Jonathan for deus estarás certa
    e se não for, também,
    porque assim acreditas
e ninguém é condenado porque ama.

EM PORTUGUÊS

Aranha, cortiça, pérola
e mais quatro que não falo
são palavras perfeitas.
Morrer é inexcedível.
Deus não tem peso algum.
Borboleta é *atelobrob*,
um sabão no tacho fervendo.
Tomara estas estranhezas
sejam psicologismos,
corruptelas devidas
ao pecado original.
Palavras, quero-as antes como coisas.
Minha cabeça se cansa
                    neste discurso infeliz.
Jonathan me falou:
       'Já tomou seu iogurte?'
Que doçura cobriu-me, que conforto!
As línguas são imperfeitas
                  pra que os poemas existam
e eu pergunte donde vêm
            os insetos alados e este afeto,
            seu braço roçando o meu.

ARTEFATO NIPÔNICO

A borboleta pousada
ou é Deus
ou é nada.

PARÂMETRO

Deus é mais belo que eu.
E não é jovem.
Isto, sim, é consolo.

AS PALAVRAS E OS NOMES

Me atordoam da mesma forma os místicos
e as lojas de roupa com seus preços.
O dente apodrece
sem que eu levante um dedo pra salvá-lo,
já que escolhi o medo como meu deus e senhor.
Tem pó demais na prateleira dos livros
               e livros em demasia
e cartas cheias de si me atravancando o caminho:
'Escrever para mim é uma religião.'
Os escritores são insuportáveis,
           menos os sagrados,
os que terminam assim as suas falas:
              'Oráculo do Senhor.'
Eu fico paralisada
porque desejo a posse deste fogo
e a roupa de talhe certo,
           com tecidos de além-mar.
Ai, nunca vou fazer 'cantar d'amigo'.
No entanto, como se eu fora galega,
na minh'alma arrulham pombos,
tem beirais, tem manhãzinhas,
           costureirinhas, pardais.
Meu nome agora é nenhum,

diverso dos muitos nomes
que se incrustaram no meu,
Délia, Adel, Élia e Lia
e para desgraça minha
ainda Leda, Lea, Dália,
Eda, Ieda e ainda Aia.
O melhor!
Aia, a criada de dama nobre,
      a dama de companhia,
a que tem por ofício
      anotar no papel a vida
e espiar pela fresta
a ama gozando com o rei.
Borboleta, esta grafia,
        este som é um erro
e os erros me interessam,
sacrifico as aranhas pra saber de onde vêm.
A natureza obedece e é feliz,
a natureza só faz sua própria vontade,
        não esborda de Deus.
Mas eu o que sou?

O DEMÔNIO TENAZ QUE NÃO EXISTE

A glória de Deus é maior que este avião no céu.
E Seu amor, de onde o meu medo vem,
mar de delícias onde caem aviões e barcos
                             [naufragam,
eu sei, eu sei
e sei também a coisa desastrosa, ser o corpo do tempo,
                                  existir,
o intermitente pavor.
Jonathan, a morte é amor
        e por que, se tenho certeza, ainda temo?
Por que um peixe é feliz e eu não sou?
É esquisito ser gente.
Quando abri a porta de noite,
lá estava um sapo de pulsante papo,
       um pacífico sapo.
Pensei: é Jonathan disfarçado, veio aqui me visitar.
Ainda assim empurrei-o com a vassoura
        e fui ver televisão.
Sob céu estrelado, ficarei sem dormir, admirada.
O amor de Deus é Sua Beleza,
        igualam-se.

Quero ser santa como santa é Agnes,
a que voa nas asas dos besouros,
        cantando pra me acalmar com sua voz
                      [de menina:
"desvencilha-te das cadeias que te prendem o pescoço,
   ó filhinha cativa de Sião".
   Os aviões causam medo porque Deus está neles.
Me abraça, Deus, com Teu braço de carne,
   canta com Tua boca pra eu ficar inocente.

COMO UM BICHO

O ritmo do meu peito é amedrontado,
Deus me pega, me mata, vai me comer
                          o deus colérico.
Tan-tan, tan-tan,
um tambor antiquíssimo na selva
        cada vez mais perigoso
        porque o dia deserta,
                tan-tan, tan-tan,
as estrelas são altas e os répteis astuciosos.
        Tan-tan, meu pai, tan-tan,
                      ó minha mãe,
ponta de faca, dentes,
                água,
água, não. Um pastor com sua flauta no rochedo,
o que nada pode erodir.
Assim meus pés descansam
e minha alma pode dormir.
        Tan-tan, tan-tan,
        cada vez mais fraco.
        Não é meu coração,
                é só um tambor.

POR CAUSA
DO AMOR

MATÉRIA

Jonathan chegou.
E o meu amor por ele é tão demente
que me esqueci de Deus,
eu que diuturnamente rezo.
Mas não quero que Jonathan se demore.
Há o perigo de eu falar
                na presença de todos
uma coisa alucinada.
O que quer acontecer pede um metro imprudente,
                    clamando por realidade.
Centopeias passeiam no meu corpo.
      Ele me chama Agnes
      e fala coisas irreproduzíveis:
'entendo que uma jarra pequena
              com três rosas de plástico
           possam inundar você de vida e morte'.
      Você existe, Jonathan?

FORMAS

De um único modo se pode dizer a alguém:
                'não esqueço você'.
A corda do violoncelo fica vibrando sozinha
                sob um arco invisível
e os pecados desaparecem como ratos flagrados.
        Meu coração causa pasmo porque bate
        e tem sangue nele e vai parar um dia
        e vira um tambor patético
                se falas no meu ouvido:
                              'não esqueço você'.
Manchas de luz na parede,
        uma jarra pequena
                com três rosas de plástico.
Tudo no mundo é perfeito
        e a morte é amor.

POEMA COMEÇADO DO FIM

Um corpo quer outro corpo.
Uma alma quer outra alma e seu corpo.
Este excesso de realidade me confunde.
Jonathan falando:
          parece que estou num filme.
Se eu lhe dissesse você é estúpido
ele diria sou mesmo.
Se ele dissesse vamos comigo ao inferno passear
                        eu iria.
As casas baixas, as pessoas pobres
            e o sol da tarde,
imaginai o que era o sol da tarde
               sobre nossa fragilidade.
Vinha com Jonathan
pela rua mais torta da cidade.
            O Caminho do Céu.

A CICATRIZ

Estão equivocados os teólogos
quando descrevem Deus em seus tratados.
Esperai por mim que vou ser apontada
como aquela que fez o irreparável.
Deus vai nascer de novo para me resgatar.
Me mata, Jonathan, com sua faca,
me livra do cativeiro do tempo.
Quero entender suas unhas,
o plano não se fixa, sua cara desaparece.
Eu amo o tempo porque amo este inferno,
este amor doloroso que precisa do corpo,
da proteção de Deus para dizer-se
nesta tarde infestada de pedestres.
Ter um corpo é como fazer poemas,
pisar margem de abismos,
       eu te amo.
Seu relógio,
          incongruente como meus sapatos,
uma cruz gozosa, ó *Felix Culpa*!

O CONHECIMENTO BÍBLICO

Deus me deu um amor e estas palavras
pra que eu possa erigi-lo,
palavras e um rito,
um lugar entre ruínas, longe
de todo bulício humano conhecido.
A felicidade é tão grande
                que desperta os demônios,
os que se ocupam em gerar o medo,
pois de onde mais pode vir
                este pensamento sujo:
você exposto, nu,
à minha sanha de perfeição.
São teus pés que nunca vi
                que ameaçam minha vida
porque tua alma já é minha;
teu amor por orquestras,
tua inacreditável humildade.
Eu só quero o que existe,
por isso erijo este sonho,
concreto como o que mais concreto pode ser,
vivo como minha mão escrevendo
                eu te amo,

não em português. Em língua nenhuma,
em diabolês, que quer dizer também
.................eu te odeio,
me deixa em paz,
não exija de mim tanta coragem.
Me deem um lugar no mundo,
onde não tenha ninguém,
um lugar entre ruínas.
O dia da santidade se aproxima,
o dia pagão em que nascerá minha vida.
Jonathan, antes de Cristo
.................eu te amo.

O ENCONTRO

Jonathan,
se resolvermos que o céu
       é este lugar onde ninguém nos ouve,
quem poderá salvar-nos?
Quanto tempo resistiríamos
sem falar a ninguém deste acontecimento?
Acompanhei com os dedos
       o desenho miraculoso do teu lábio,
    contornei-lhe as gengivas,
    bati-lhe no dente escuro
       como em um cavalo,
um cavalo meu na campina.
Pedi-lhe: faz com tua unha um risco
       na minha cara,
o amor da morte instigando-nos
    com nunca vista coragem.
    Vamos morrer juntos
    antes que o corpo alardeie
       sua mísera condição.
Agora, Jonathan,
    neste lugar tão ermo,
    neste lugar perfeito.

A SEDUZIDA

Por causa de Jonathan
        minha idade regride.
Por certo morrerei
se insistir em só amar,
        sem comer nem dormir.
Amor e morte são casados
e moram no abismo trevoso.
Seus filhos,
o que se chama Felicitas
tem o apelido de Fel.
O centro da luz é escuro
        do negrume de Deus,
é sombra espessa de dia,
de noite tudo reluz.
Comigo os séculos porfiam
na encarnação de Jesus.

O MAIS LEVE QUE O AR

O que me leva a Jonathan?
A bicicleta do sonho,
mais veloz que avião.
Anda no mar, encantada,
    transpõe montanhas,
        para no portão florido.
Jonathan está no escritório
    com a luz do abajur acesa.
Demoro um pouco a bater,
    pro coração sossegar.
Jonathan me pressente
    e abre a cortina brusco,
    brincando de me assustar.
    As bicicletas são duas na planície.

ADIVINHA

Escolhe um mês,
        falei à santa.
Ela escolheu outubro.
E também a menina a quem pedi
falou, sem saber, outubro.
Não pergunto a mais ninguém
pois será neste mês
que vou lavrar o ouro bruto
        encastelado em seu nome.
Pensava em Jonathan quando armei o brinquedo,
penso nele agora
        fazendo o que sei melhor,
mandar mensagens de amor
com a força do pensamento:
        Jonathan, escuta,
        sou eu a mosca adejante:
        junto às ruínas, em outubro.

CITAÇÃO DE ISAÍAS

A matéria de Deus é Seu amor.
Sua forma é Jonathan,
o que dói e perece
e me diz, com tremor da criação inteira:
"És preciosa aos meus olhos,
        porque eu te aprecio e te amo,
                permuto reinos por ti."

GRITOS E SUSSURROS

Este ano é bissexto, Jonathan.
No céu ou no inferno,
um dia inteiro pra nós.

MANDALA

Minha ficção maior é Jonathan,
mas, como é poética, existe
e porque existe me mata
e me faz renascer a cada ciclo
de paixão e de sonho.

MAIS UMA VEZ

Não quero mais amar Jonathan.
Estou cansada deste amor sem mimos,
destinado a tornar-se um amor de velhos.
Oh! nunca falei assim –
        um amor de velhos.
Ainda bem que é mentira.
Mesmo que Jonathan me olvide
      e esta canção desafine
como um bolero ruim,
permaneço querendo a bicicleta holandesa
e mais tarde a cripta gótica
pra nossos ossos dormirem.
      Ó Jonathan,
não depende de você
que a cornucópia invisível jorre ouro.
      Nem de mim.
Quero enfear o poema
          pra te lançar meu desprezo,
                  em vão.
Escreve-o quem me dita as palavras,
escreve-o por minha mão.

CARTA

Jonathan,
por sua causa
começam a acontecer coisas comigo.
Ando cheia de medo.
Quero me mudar daqui.
Enfarei dos parentes,
do meu cargo na paróquia
e cismei de arrumar os cabelos
como certas cantoras.
Não tenho mais paciência
com assuntos de quem morreu,
quem casou,
caí no ciclo esquisito de quando te conheci.
Fico sem comer por dias,
meu sono é quase nenhum,
ensaiando diálogos
pra quando nos encontrarmos
naquele lugar distante
dos olhos da Marcionília
que perguntou com maldade
se vi passarinho verde.
Me diga a que horas pensa em mim,
pra eu acertar meu relógio

pela hora de Madagascar,
onde você se aguenta
sem me mandar um postal.
A não ser o Soledade e minha querida irmã,
ninguém sabe de nós.
Só a eles conto o meu desvario.
Bem podia você telefonar,
escrever,
telegrafar,
mandar um sinal de vida.
Há o perigo de eu ficar doente,
me surpreendi grunhindo,
beijando meu próprio braço.
Estou louca mesmo.
De saudade.
Tudo por sua causa.
Me escreve.
Ou inventa um jeito
— eu sei mil —
de me mandar um recado.
Da janela do quarto onde não durmo
fico olhando Alfa e Beta,
que, na minha imaginação,
representam nós dois.
Você me acha infantil, Jonathan?
Pediram insistentemente

para eu saudar o Embaixador.
Respondi: não.
Com todas as letras: não.
Só pra me divertir, expliquei
que aguardo na mesma data
visita da Manchúria,
professor ilustre vem saber
por que encho tantos cadernos
com este código espelhado:
OMAETUE NAHTANOJ.
Torço pra estourar uma guerra
e você se ver obrigado
a emigrar para Arvoredos.
Me inspecionam.
Devo ter falado muito alto.
Beijo sua unha amarela
e seus olhos que finge distraídos
só para aumentar minha paixão.
Sei disso e ainda assim ela aumenta.
Alfa querido, *ciao*.
Sua sempre Beta.

BILHETE DA OUSADA DONZELA

Jonathan,
há nazistas desconfiados.
Põe aquela sua camisa que eu detesto
– comprada no Bazar Marrocos –
e venha como se fosse pra consertar meu chuveiro.
Aproveita na terça que meu pai vai com minha mãe
visitar tia Quita no Lajeado.
Se mudarem de ideia, mando novo bilhete.
Venha sem guarda-chuva – mesmo se estiver
                                          [chovendo.
Não aguento mais tio Emílio que sabe e finge
                                          [não saber
que te namoro escondido e vive te pondo apelidos.
O que você disse outro dia na festa dos pecuaristas
até hoje soa igual música tocando no meu ouvido:
'não paro de pensar em você'.
Eu também, Natinho, nem um minuto.
Na terça, às duas da tarde,
hora em que se o mundo acabar
                      eu nem vejo.

                    Com aflição,
                        Antônia.

FIEIRA

Posso me esforçar à vontade
que a letra não sai redonda.
              Deus meu vê.
Não escrevo mais cartas,
só palavrões no muro:
        Foda-se. Morra.
Estou cansada de dizer eu te amo.
Não tem começo nem fim minha paciência.
Não paro de pensar em Jonathan.
        Detesto escrita elegante.
        As tragédias são doces.
Aprendi a falar desde pequenininha.
        Tudo que digo é vaidade.
É impossível viver sem dizer eu,
    palavra a Deus reservada.
        Não sei como ser humana.
Saberei, se Jonathan me amar:
           'que unha forte!',
           'você me lembra alguém',
           'quase lhe mando um cartão'.
              Migalhas, Jonathan,
                você também vai morrer,
                            fala,
            descansa meu coração.

PRODÍGIOS

Hoje quase tive um êxtase
    no meu querer intenso de um milagre:
que esta flor desabroche na minha frente,
que a luz pisque três vezes.
Assim sem mais, o pensamento de que vivo em
                                        [pecado,
                Cristo me advertindo:
    "Quem olhar uma mulher cobiçando-a
    já adulterou com ela em seu coração."
Mas Jonathan nem é mulher
    e quem hoje, senão às escondidas,
cumpre o preceito bíblico
de vergastar até o sangue
as costas do escravo ruim?
Ó andorinha,
pousa em meu ombro como um sinal.
Ó escorpião,
    move tua cauda azul,
   rodopia no céu, lua crescente.
Me diz, bíblia velha, onde está o erro.
"Quantas vezes no deserto O provocaram
e na solidão O afligiram."

Estes poemas belíssimos
dizem de Deus:
"Matou os primogênitos no Egito."
"Seu hálito queima como brasa."
A lei me afasta de Jonathan
         que me aproxima de Deus
      porque é belo e me ama
     e não teme tocar os meus
       com seus lábios de carne.
Bons tempos em que se matava
    a adúltera a pedradas.
O que segura o mar nos seus limites
      tem carinho com o mar.
Por que não terá comigo que também sei bramir?
    Amo Deus, amo Jonathan,
  amo, amo, amo.

TRINDADE

Deus só me dá o sonho.
O resto me toma, indiferente aos gritos,
porque o sonho é Ele próprio travestido de Jonathan
e sua cara de mármore inalcançável.
Minhas bravatas! Nunca fui além de seus dedos
                        por debaixo do pires:
Mais café, Jonathan? Mais café?
Ele me achando ousada porque olhei seus sapatos
                        e em seguida a janela
para que lesse nessa linha oblíqua
                        a urgência da minha alma.
Me beijou algum dia ou foi sonho, excessivo
                        [desejo?
Deus me separa de Deus, é frágua seu coração
ardendo de amor por mim que ardo de amor
                        [por Jonathan
que observa Orion, impassível como um rochedo.
"Tomai cuidado, vossas fantasias se cumprem."
Imagino que peço a Jonathan:
me deixa ferir teu lábio pra me provares que existes.
Jonathan que amo é divino,
acho que é humano também.

Um dia vai tomar minha cabeça com
                              [insuspeitada doçura.
Então,
eu Te amo, Deus,
contra mim mesma é o que direi,
Te amo.

NÃO BLASFEMO

Deus não tem vontade. Eu, sim,
porque sou impressionável e pequena
e nunca mais tive paz desde que há muitos anos
     pus meus olhos em Jonathan.
Meus olhos e em seguida minha alma.
Nada mais quis até hoje.
Como serei julgada,
se meu medo se esvai, o meu medo do inferno,
da face do Deus raivoso?
O princípio da sabedoria é agora minha coragem
de viajar pressurosa para onde ele estiver.
Meu coração não pensa
e meu coração sou eu e seu desejo incansável.
A menina falou espantosamente:
'É impossível pensar em Deus.'
E foi este o meu erro todo o tempo,
Deus não existe assim pensável.
Não sei vos reproduzir como é a testa de Jonathan,
mas quando ele me toca é no seio de Deus que eu fico,
um seio que não me repele.
Assim,

cumpro o desígnio da divina vontade:
seu queixo agora, Jonathan,
seu riso quase escarninho,
seu modo de não me ver.
Entalho a beleza de Deus.

A SANTA CEIA

Começou dizendo: o amor...
mas não pôde concluir
pois alguém o chamava.
O amor... como se me tocasse,
falava só para mim,
ainda que outras pessoas estivessem à mesa.
O amor... e arrastou sua cadeira
                          pra mais perto.
Não levantava os olhos, temerosa
              da explicitude do meu coração.
A sala aquecia-se
do meu respirar de crepitação e luzes.
O amor...
Ficou só esta palavra do inconcluído discurso,
alimento da fome que desejo perpétua.
Jonathan é minha comida.

PASTORAL

Quando, por demasiada,
  a saudade de Jonathan me perturba
    eu vou pra roça.
   Nas ruas de café,
  entre canas de milho e folhas de bugre lustrosas,
       sua presença anímica me acalma.
  O cheiro dele é resinas, sua doçura,
escondida em cupins, cascas de pau,
    mel que nunca provei.
Meu coração implora à ordem amorosa do
                  [mundo:
  vem, Jonathan. E aparece um besouro
     com o mesmo jeito dele caminhar.
  Descubro que passarinhos
     só fazem o que lhes dá gosto
    e me incitam do bambual:
Você também, pequena mulher,
    deve cumprir seu destino.
Há um sacramento chamado
     da Presença Santíssima, um coração
dizendo o mesmo que o meu:
     vem, vem, vem.

Conheci a cólera de Deus,
 agora, seu vigilante ciúme.
Até a raiz das touceiras,
até onde vejo e não vejo,
rastro imperceptível de formigas,
Ele, Jonathan, e eu,
 faca, doçura e gozo,
dor que não deserta de mim.

O APRENDIZ DE ERMITÃO

É muito difícil jejuar.
Com a boca decifro o mundo, proferindo palavras,
beijando os lábios de Jonathan que me chama
                                  [Primora,
nome de amor inventado.
Flauta com a boca se toca,
do sopro de Deus a alma nasce,
dor tão bonita que eu peço:
dói mais, um pouquinho só.
Não me peça de volta o que me destes, Deus.
Meu corpo de novo é inocente,
como a pastos sem cerca amo Jonathan,
      mesmo que me esqueça.
Ó mundo bonito!
Eu quero conhecer quem fez o mundo
                tão consertadamente descuidoso.
Os papagaios falam, Jonathan respira
e tira do seu alento este som: Primora.
"Tomai e comei."
Vosso Reino é comida?
Eu sei? Não sei.
Mas tudo é corpo, até Vós,
      mensurável matéria.

O espírito busca palavras,
quem não enxerga ouve sons,
quem é surdo vê luzes,
o peito dispara a pique de arrebentar.
Salve, mistérios! Salve, mundo!
Corpo de Deus, boca minha,
espanto de escrever arriscando minha vida:
eu te amo, Jonathan,
acreditando que você é Deus e
me salvará a palavra dita por sua boca.
Me saúda assim como à *Aurora Consurgens*:
        Vem, Primora.
Falas como um homem,
mas o que escuto é o estrondo
que vem do Setentrião.
Me dá coragem, Deus, para eu nascer.

SUMÁRIO

POR CAUSA DA BELEZA DO MUNDO

9   Biografia do poeta
11 O destino do alvissareiro
13 A formalística
15 A morte de D. Palma Outeiros Consolata
17 *Laetitia cordis*
19 História
21 O holocausto
23 *Opus Dei*
25 Em português
27 Artefato nipônico
29 Parâmetro
31 As palavras e os nomes
33 O demônio tenaz que não existe
35 Como um bicho

POR CAUSA DO AMOR

39 Matéria
41 Formas
43 Poema começado do fim
45 A cicatriz
47 O conhecimento bíblico
49 O encontro
51 A seduzida
53 O mais leve que o ar
55 Adivinha
57 Citação de Isaías
59 Gritos e sussurros
61 Mandala
63 Mais uma vez
65 Carta
69 Bilhete da ousada donzela
71 Fieira
73 Prodígios
75 Trindade
77 Não blasfemo
79 A santa ceia
81 Pastoral
83 O aprendiz de ermitão

Este livro foi composto
na tipografia Gambetta,
em corpo 10,8/15, e impresso
em papel Pólen Bold 90 g/m²,
na gráfica Ipsis.